LE GUIDE DES FINES HERBES ET DES EPICES

GUIDE DES
FINES HERBES
ET DES EPICES

Chantecler

TABLE DES MATIERES

© 1993 by Editions Chantecler,
division de la Zuidnederlandse Uitgeverij N.V.,
Aartselaar, Belgique. Tous droits réservés.
Traduction française: Philippe Bracaval.
D-MCMXCIII-0001-23

INTRODUCTION

Les notions de fines herbes et épices prêtent souvent à confusion. Elles sont toutefois fondamentalement différentes. Les fines herbes sont des plantes aromatiques dont les feuilles, ou parfois la plante entière, s'utilisent fraî-ches, séchées ou en poudre. Citons simplement le persil, la ciboulette, l'aneth, etc.

Les épices proviennent habituellement de différentes parties de plantes, d'arbustes ou d'arbres. Il s'agit parfois des boutons floraux, comme les clous de girofle, des fruits, comme les baies de genévrier, ou encore des racines, comme les rhizomes de gingembre. Le plus souvent, les épices requièrent un processus de traitement et de préparation. La différence entre les fines herbes et les épices est donc considérable. En règle générale, les épices ont un goût plus prononcé que les fines herbes.

Il est très amusant de se livrer à des expériences en manipulant fines herbes et épices. C'est un art de découvrir les quantités idéales et les associations aromatiques d'herbes et d'épices, qui exalteront l'éclat des préparations culinaires. A présent que l'approvisionnement en fines herbes fraîches est aussi abondant que régulier, nous vous recommandons les innovations les plus téméraires. De plus, les herbes aromatiques se cultivent aisément au jar-din, sur le balcon et même dans la cuisine. Commencez par des herbes d'utilisation courante ou de culture facile. Les herbes aromatiques possèdent également de nombreuses vertus médicinales et cosmétiques.

L'amateur d'épices et de fines herbes saura en user sans abuser.

L'OIGNON

L'oignon est un aliment populaire connu depuis la haute Antiquité. Les Egyptiens et les Babyloniens en faisaient une grande consommation. Les Hellènes connaissaient déjà ses nombreuses vertus thérapeutiques.

L'oignon est une plante bulbeuse. Il est disponible toute l'année. Ses nombreuses pellicules extérieures lui assurent une excellente conservation et le rendent moins vulnérable aux chocs et aux influences extérieures. Emincé, il libère des huiles essentielles, volatiles et irritantes. Les principales variétés sont les oignons jaunes, les oignons rouges, les oignons de printemps, les échalotes et les petits oignons.

L'oignon se prête à de nombreuses préparations culinaires. Emincé, il rehausse la saveur des salades, des sauces et de la viande hachée. L'oignon distille aussi son arôme au bouillon. Revenu dans du beurre, il accompagne de nombreuses préparations savoureuses. Cru, il s'allie avec la salade et le hareng. Les anneaux d'oignons frits s'utilisent pour garnir les plats ou accompagner l'apéritif.

Farci ou étuvé, l'oignon s'utilise également comme légume. Les oignons de printemps sont récoltés avant la formation du bulbe. Leur saveur est délicate. Leur durée de conservation est plus limitée (environ 5 jours dans le bac à légumes du réfrigérateur). Ils se consomment également comme légumes. De plus, les oignons de printemps accompagnent les potages, les sauces, les salades et nombre d'autres mets. L'oignon joue donc les premiers violons dans le concert des hors-d'œuvre, potages, salades, plats principaux et sauces.

Les oignons sont économiques, polyvalents et disponibles en toute saison. Ils s'utilisent découpés en morceaux, en anneaux ou en lanières.

COMPOTE D'OIGNONS

250 g d'oignons · beurre · sucre · 2 c. s. de
vinaigre de vin rouge · 1 verre de vin rouge

Emincez les oignons et faites-les dorer dans le beurre.
Saupoudrez de quelques cuillerées à café de sucre et faites
revenir quelques instants. Ajoutez le vinaigre et le vin.
Laissez mijoter à petit feu. Cette compote est délicieuse
avec les viandes.

SALADE D'OIGNONS

500 g de petits oignons · 1 l d'eau · sel · eau ·
1/2 jus de citron · 100 g de jambon cuit (une
tranche épaisse) · 2 c. s. de crème aigre ·
2 c. s. de vinaigre de vin · 3 c. s. d'huile ·
1 c. c. de moutarde · sel · poivre · persil

Portez à ébullition l'eau salée additionnée du jus de citron.
Laissez bouillir les oignons pelés pendant 3 minutes.
Laissez égoutter et refroidir. Coupez le jambon en petits
dés. Mélangez la crème, le vinaigre, l'huile, la moutarde,
le sel et le poivre. Incorporez les oignons et les dés de
jambon à cette sauce. Parsemez de persil. Cette salade
d'oignons accompagne généreusement les viandes.

CONSEILS ET ASTUCES

*Pour éliminer les odeurs d'oignon, frottez-vous les mains
avec du persil ou du jus de citron. Lavez-vous les mains à
l'eau et au savon. Vous éviterez de pleurer si vous
épluchez les oignons sous le robinet ou au-dessus d'un
récipient rempli d'eau. L'oignon cru stimule la digestion
et l'appétit. Il favorise également le fonctionnement du
gros intestin. Il préserve la jeunesse et augmente les
facultés de résistance.*

L'AIL

L'ail est originaire d'Asie centrale. Il pousse dans les pays chauds. Dans les régions septentrionales, l'ail est devenu rustique, mais son goût est moins prononcé.

La tige de l'ail atteint une hauteur de 40 à 60 cm. La partie inférieure du bulbe présente des racines fibreuses. Sa tige verte est tendre. La feuille est plate, élancée et pointue. La fleur est blanche ou légèrement rosée. La plante d'ail arrive à maturité en juillet août. L'ail est une liliacée. Il appartient donc à la famille de l'oignon. L'ail s'utilise frais, séché ou en poudre.

L'utilisation de l'ail est extraordinairement variée. Les gousses sont généralement pressées (au presse-ail) ou encore écrasées avec le plat d'une lame de couteau, après avoir été saupoudrées de sel. Ensuite, elles sont émincées. Il devient alors superflu de saler les préparations. Des éclats ou lamelles d'ail s'utilisent pour piquer les viandes, telles que le gigot.

Comme la saveur de l'ail s'évente à haute température, on se contentera de le faire revenir légèrement dans le beurre ou l'huile.

Le beurre d'ail est exquis sur les croûtons de pain.

Trahissant l'haleine de ceux qui en consomment, l'ail ne recueille pas l'unanimité des suffrages. Il est pourtant excellent dans les potages, les sauces, les viandes, les pâtes et les plats exotiques.

On l'utilise volontiers pour frotter l'intérieur des caquelons et des saladiers.

MARINADE A L'AIL

3 gousses d'ail · sel · poivre · 5 c. s. d'huile ·
3 c. s. de vinaigre de vin · persil frais ·
ciboulette et aneth (1/4 de bouquet) ·
une petite poignée de cresson

Pelez l'ail et pressez-le dans un ravier. Ajoutez le sel, le poivre, l'huile, le vinaigre et les herbes ciselées. Mélangez le tout, recouvrez le récipient d'une assiette et laissez mariner 3 à 4 heures au réfrigérateur. Cette marinade rehausse la saveur des salades.

MAYONNAISE A L'AIL - AIOLI

8 gousses d'ail · sel · poivre · 2 jaunes d'œuf .
250 ml d'huile d'olive · 1 c. s. de moutarde de
Dijon · 2 c. s. de jus de citron

Pelez, émincez et pilez l'ail avec une pincée de sel et de poivre. Ajoutez la moutarde et les jaunes d'œufs en malaxant avec la cuillère de bois. Versez le quart de l'huile d'olive goutte à goutte, en battant. Ajoutez ensuite progressivement le restant de l'huile sans cesser de battre. Rectifiez avec un peu de jus de citron si la mayonnaise devient trop épaisse. Délicieux pour accompagner les poissons, les salades et l'agneau ou comme assaisonnement.

CONSEILS ET ASTUCES

Bactéricide, l'ail purifie les intestins. C'est également un excellent désinfectant: une gousse d'ail émincée dans la salade préserve du rhume et de la grippe. L'ail purifie également le sang. Que vous le trouviez bon ou mauvais, l'ail est bon pour la santé. Au terme d'un repas parfumé à l'ail, quelques tablettes de chlorophylle viendront à bout de l'haleine "chargée".

LA CIBOULETTE

La ciboulette, également appelée ciboule, cive ou civette, figure parmi les herbes aromatiques les plus populaires. Sa délicate saveur d'oignon fait merveille dans d'innombrables préparations.

La ciboulette est une plante bulbeuse qui atteint une hauteur de 15 à 30 cm. Ses feuilles, les brins, sont creuses, rondes et vertes. En juillet - août, la plante présente de petites fleurs mauves rondes, qui s'utilisent pour garnir les plats. La ciboulette pousse volontiers dans le jardin ou à l'intérieur. Plus on la taille, mieux elle repousse. La ciboulette a une teneur élevée en vitamine C.

La ciboulette a la saveur délicate de l'oignon. Hachée finement, elle s'ajoute en dernier, juste avant de servir. La ciboulette s'utilise souvent pour garnir les plats. Elle est exquise dans les salades, les potages, le pain aux fines herbes, les sauces, les préparations aux œufs, la mayonnaise et le beurre aux fines herbes. Plongée dans l'eau chaude, la ciboulette séchée retrouve instantanément toute sa saveur. Le potage aux poivrons parsemé de ciboulette est une pure merveille.
Une simple tartine au fromage devient somptueuse lorsqu'on saupoudre le fromage de ciboulette. La ciboulette est presque indissociable de la salade de tomates. Les brins entiers s'utilisent comme garniture, en réalisant, par exemple, un bouquet de fines lanières de poivron rouge et jaune, ficelé par quelques brins de ciboulette. Une touffe de ciboulette se conserve plusieurs semaines à l'intérieur, à condition de l'arroser régulièrement. La ciboulette supporte parfaitement la congélation.

SAUCE A LA CIBOULETTE ET AUX RADIS

150 ml de yaourt · 2 c. s. de mayonnaise ·
1 botte de radis · 1 bouquet de ciboulette ·
sel · poivre · poudre de paprika

Mélangez le yaourt et la mayonnaise. Nettoyez et hachez finement les radis. Lavez et ciselez la ciboulette. Incorporez les radis et la ciboulette, le sel, le poivre et une pincée de poudre de paprika au mélange. Délicieux pour accompagner une fondue, mais également les pommes de terre sautées.

SALADE DE TOMATES AU MAIS ET A LA CIBOULETTE

500 g de tomates · 1 petite boîte de maïs ·
3 c. s. d'huile · sel · poivre ·
1/2 bouquet de ciboulette

Lavez les tomates et coupez-les en fines rondelles. Mettez-les dans un saladier. Egouttez le maïs et répartissez les grains sur les tomates. Mélangez l'huile, le sel et le poivre. Ciselez la ciboulette et ajoutez-la au mélange. Couvrez avec l'assaisonnement et mélangez délicatement. Délicieux pour accompagner les grillades de viande, de poisson et de volaille.

CONSEILS ET ASTUCES

Comme toutes les variétés d'oignons, la ciboulette stimule le métabolisme, et plus particulièrement les échanges métaboliques. Ses feuilles ont un effet légèrement désinfectant. Préparez quelques glaçons avec de la ciboulette hachée (ajoutez la ciboulette hachée à l'eau avant de congeler). Ces glaçons donneront un cachet original aux boissons toniques.

L'ANETH

L'aneth appartient à la famille du fenouil. Une touffe d'aneth plantée à proximité d'un plant de fenouil peut donner lieu à une pollinisation croisée. La saveur subtile de l'aneth est délicatement anisée.

L'aneth présente un feuillage finement dentelé et des fleurs jaune vif. Il se sème d'avril à début juin dans un endroit bien exposé. L'aneth se multiplie spontanément. C'est pourquoi, il est préférable de récolter les graines (les ombelles) avant leur maturité. La maturation des graines peut alors se poursuivre dans un endroit sec, chaud et ventilé.

L'aneth perd sa saveur subtile lorsqu'il est combiné à des herbes plus aromatiques. L'aneth est l'aromate de prédilection pour accompagner les poissons. Les touffes d'aneth sont exquises dans les salades de concombres et de tomates, pour accompagner les préparations aux pommes de terre, au poulet et aux légumes, telles que le chou-rave et le rutabaga, la soupe aux haricots, les sauces, le yaourt et les préparations aigres-douces.

L'aneth se prête très bien aux garnitures. Une tartine de fromage blanc parfumé à l'aneth est délicieuse. Les graines d'aneth rehaussent la saveur de l'agneau et des légumineuses. Elles donnent également un cachet particulier aux gâteaux. Un assaisonnement d'aneth et de moutarde parfume merveilleusement le saumon mariné. Placé dans un sachet fermé, l'aneth frais se conserve pendant une semaine dans le bac à légumes du réfrigérateur. Le beurre d'aneth accompagne les grillades de viande et de poisson.

L'aneth séché est moins aromatique que l'aneth frais.

Les graines d'aneth sont plus parfumées, leur saveur rappelle un peu celle du cumin.

SAUCE CHAUDE A L'ANETH

2 bouquets d'aneth · 30 g de beurre · 30 g de
farine · 1/2 l de bouillon de viande · sel ·
1 jaune d'œuf · 3 c. s. de crème fraîche

Lavez, épongez et ciselez l'aneth. Faites fondre le beurre
dans une casserole et faites revenir la moitié de l'aneth
haché, sans le laisser brunir. Ajoutez la farine en remuant
et laissez cuire quelques instants. Mouillez avec le bouillon en remuant lentement. Continuez à remuer jusqu'à
obtenir une sauce onctueuse et homogène. Laissez mijoter
5 minutes à petit feu. Salez à volonté. Mélangez le jaune
d'œuf et la crème fraîche. Hors du feu, incorporez ce
mélange à la sauce. Ne faites plus bouillir. Ajoutez le restant de l'aneth et servez sans attendre. Délicieux pour
accompagner les poissons pochés ou cuits à la vapeur.

BEURRE A L'ANETH

150 g de beurre · 2 c. s. d'aneth finement
ciselé · sel · poivre blanc ·
un trait de jus de citron

Incorporez l'aneth haché au beurre. Ajoutez le sel, le poivre et le jus de citron. Malaxez longuement afin d'obtenir
un mélange homogène. Il est possible de façonner un rouleau de beurre à l'aneth qui sera mis à raffermir au réfrigérateur. Prélevez ensuite des rondelles de beurre.
Délicieux avec le rôti de bœuf et le poisson frit.

CONSEILS ET ASTUCES

*Les graines d'aneth ont une action apaisante. De plus, elles
freinent l'appétit. L'aneth frais combat la mauvaise haleine.
Une infusion aux graines d'aneth est efficace contre le mal
de ventre et le hoquet chez les enfants. Il aide également à
combattre les nausées et les sensations de ballonnement.
Jadis, l'aneth était considéré comme un porte-bonheur.
C'est à ce titre qu'il entrait dans la composition des bouquets de mariée.*

LE FENOUIL

Le fenouil est originaire des régions littorales du bassin méditerranéen. Ses feuilles ciselées s'utilisent fraîches et ses graines, séchées.

Le fenouil appartient à la famille des ombellifères. Cette plante rustique atteint environ 1,50 m de haut. La tige prend naissance dans une racine blanche et charnue, le bulbe. La tige creuse est verte. Les tiges les plus ramifiées sont les plus tendres. Le feuillage est finement dentelé. Les ombelles sont jaunes. Les graines de fenouil se récoltent d'août à octobre.

Le bulbe, les feuilles, les graines et les ombelles du fenouil ont une odeur et une saveur fortement anisées. Les feuilles ciselées s'utilisent fraîches ou séchées pour aromatiser les sauces et les salades, les viandes et les poissons ainsi que les assaisonnements. Les feuilles hachées sont également délicieuses sur le pain.

Diverses charcuteries italiennes sont parfumées aux graines de fenouil. Les graines de fenouil s'utilisent également dans les conserves de cornichons, d'oignons blancs, de concombres, de choucroute et de hareng. Les ombelles entrent dans la confection des pickles. Le bulbe est un légume à part entière.

Il se déguste cuit à l'eau ou à la vapeur, braisé ou frit. Cru et coupé en très fines lanières, il se déguste en salade. Le bulbe haché fin mélangé à de la chair à saucisse constitue une farce originale pour la volaille.

Le bulbe de fenouil se combine très bien avec diverses sauces, telles que la sauce au beurre, la sauce hollandaise ou la sauce rémoulade (mélange de mayonnaise froide, de moutarde et d'herbes finement hachées).

CHAMPIGNONS AUX GRAINES DE FENOUIL

250 g de champignons · 1 c. s. de beurre ·
1 c. c. de graines de fenouil · sel · poivre ·
2 cl de crème aigre

Nettoyez les champignons et coupez-les en deux. Faites chauffer le beurre et saisissez les champignons à feu vif. Saupoudrez avec les graines de fenouil et rectifiez avec le sel et le poivre. Laissez cuire les champignons jusqu'à ce qu'ils soient tendres. Incorporez la crème aigre.
Laissez mijoter quelques instants. Délicieux sur le pain grillé ou pour accompagner des carbonnades de porc.

MAQUEREAUX GRILLES AU FENOUIL

2 maquereaux frais, nettoyés ·
poignée de feuilles de fenouil ciselées ·
50 g de beurre fondu

Passez les maquereaux sous l'eau froide. Essuyez les poissons en les tamponnant à l'intérieur et à l'extérieur. Farcissez les maquereaux avec les feuilles de fenouil finement hachées. Badigeonnez les poissons de beurre fondu. Placez les maquereaux dans le gril à poisson. Faites griller 5 minutes de chaque côté. Délicieux avec de la baguette et une salade mixte.

CONSEILS ET ASTUCES

Le fenouil est souvent allié au poisson pour en corriger l'arrière-goût huileux. Les huiles essentielles du fenouil stimulent la production de sucs gastriques et la salivation. L'infusion de fenouil est efficace contre le rhume, les maux d'estomac et les sensations de lourdeur. Mettez une cuillerée à café de graines de fenouil dans une tasse d'eau bouillante et laissez infuser quelques instants.

LA CORIANDRE

La coriandre est originaire de Chine, d'Inde et de Thaïlande. Dans ces pays, cette plante est aussi populaire que le persil chez nous. Ce condiment est indissociable de la cuisine asiatique.

La coriandre appartient à la famille des ombellifères. Cette plante annuelle rustique peut se cultiver partout, de préférence dans un endroit protégé du jardin. Elle atteint 70 cm de haut et 20 cm de large. Sa tige verte est droite et élancée. Son feuillage est vert, les ombelles sont blanc-rose. Les graines brun clair sont rondes. Elles diffusent un puissant arôme.

La poudre de coriandre entre dans la composition de la poudre de curry, des mélanges à spéculoos, des mélanges d'aromates à conserve et à saucisse. Sa saveur est légèrement aigre-douce. Les graines entières ou moulues de coriandre sont commercialisées en sachets ou en pots. Dans les supermarchés ou dans les magasins marocains, pakistanais ou indiens, on peut trouver de la coriandre fraîche. Les Pakistanais l'appellent "dhania", les Marocains "kasbor" et les Indonésiens "ketumbar". La coriandre entre dans la composition d'un grand nombre de recettes orientales. Elle s'ajoute alors au mélange d'épices. Son puissant arôme ne se déploie qu'à la cuisson. La coriandre doit s'utiliser avec modération, parce que son parfum devient rapidement prédominant.

Indissociable des recettes orientales, la coriandre se prête à de nombreuses autres préparations. Le beurre blanc parfumé aux feuilles ciselées de coriandre est très raffiné. La coriandre relève les préparations au chou, la compote de pommes et les préparations aux fruits.

AGNEAU AU CHOU-FLEUR

2 c. s. de beurre · 1 gros oignon · 1 livre
d'agneau · 2 c. c. de coriandre moulue ·
2 c. c. de curcuma · 1 c. c. de poudre de
gingembre · 2 tomates · 1 dl de yaourt ·
1 petit chou-fleur (500 g) · sel · 1 c. c. de
poudre de piment de Cayenne

Faites fondre le beurre dans une casserole. Emincez l'oignon et faites-le revenir dans le beurre. Coupez la viande
en dés, ajoutez-les à l'oignon émincé avec la coriandre, le
curcuma et la poudre de gingembre. Mélangez bien et laissez cuire 10 minutes. Ajoutez ensuite les tomates concas-
sées et le yaourt. Laissez cuire et ajoutez les petits bouquets de chou-fleur. Rectifiez avec le sel et la poudre de
piment de Cayenne. Remuez bien et mouillez avec un peu
d'eau. Recouvrez la casserole et laissez mijoter jusqu'à ce
que le chou-fleur soit cuit.

COURGETTE AU CURRY

1 c. s. d'huile · 1 c. c. de graines de cumin ·
1 courgette · 1/2 c. c. de poudre de piment
de Cayenne · 1 c. c. de coriandre moulue ·
4 tomates · 1 branche de coriandre fraîche

Faites chauffer l'huile dans une poêle. Faites griller les
graines de cumin jusqu'à ce qu'elles se mettent à sauter.
Ajoutez la courgette découpée en fines tranches et assaisonnez avec la poudre de piment de Cayenne et la poudre
de coriandre. Mélangez bien, ajoutez la tomate coupée
concassée et salez. Recouvrez la poêle et laissez mijoter
10 minutes. Avant de servir, parsemez de feuilles de
coriandre hachées.

CONSEILS ET ASTUCES

*Dans un sachet en plastique, la coriandre fraîche se conser-
ve quatre jours dans le bac à légumes du réfrigérateur.*

L'ESTRAGON

L'estragon est probablement originaire de Sibérie et de Mongolie. Son nom apparaît pour la première fois dans des ouvrages datant du Moyen Age. Au 17ème siècle, il s'est implanté en France, en provenance de l'Europe de l'Est. Il en existe deux variétés: l'estragon russe et l'estragon français.
L'estragon russe a une saveur très prononcée. L'arôme de l'estragon français est plus raffiné.

L'estragon fut parfois appelé l'herbe à dragons, probablement du fait que ses racines ressemblent à des serpents et qu'il était supposé constituer un remède efficace contre les morsures venimeuses, et plus particulièrement contre les morsures de serpent. L'estragon est une plante vivace pouvant atteindre 100 cm de haut et environ 50 cm de large. Sa fine tige ne se ramifie pas. La feuille vert foncé est plutôt effilée.

L'estragon développe parfaitement son parfum caractéristique dans un environnement acide, et plus particulièrement lorsqu'il s'allie avec le jus de citron ou le vinaigre.
Finement ciselées, les feuilles d'estragon fraîches aromatisent la mayonnaise, les assaisonnements, le beurre aux fines herbes, les sauces et les marinades. L'estragon haché menu parfume agréablement les viandes grillées, les préparations au fromage ou aux œufs, et les tomates. L'estragon fait merveille dans les conserves de cornichons et de petits oignons. Il supporte bien la cuisson. Le poulet à l'estragon (recette italienne), le beurre d'estragon, l'assaisonnement à l'estragon, et la sauce brune à l'estragon sont des classiques de l'art culinaire. La glace au yaourt et à l'orange parfumée à l'estragon frais est un mets exquis.
L'estragon s'utilise avec modération.

BEURRE A L'ESTRAGON

100 g de beurre · 2 c. s. d'estragon frais
haché · 1 c. c. de jus de citron · poivre · sel

Travaillez longuement le beurre pour le ramollir. Incorporez goutte à goutte le jus de citron et ajoutez l'estragon. Rectifiez avec le sel et le poivre.

VINAIGRE D'ESTRAGON

1 l de vinaigre de vin · 1 citron non traité ·
3 clous de girofle · 2 c. s. d'estragon frais ··
3 branches d'estragon

Rincez l'estragon et égouttez-le. Effeuillez l'estragon en réservant 3 branches. Lavez le citron et râpez le zeste (uniquement l'écorce jaune). Mettez tous les ingrédients dans une bouteille propre et ajoutez le vinaigre de vin. Fermez correctement la bouteille et placez-la deux semaines sur le rebord d'une fenêtre, à température ambiante. Après deux semaines, filtrez le vinaigre et transvasez-le dans une bouteille propre.

ASSAISONNEMENT A L'ESTRAGON

4 c. s. d'huile (d'olive) · 2 c. s. de vinaigre
d'estragon · 1 c. c. d'estragon frais finement
haché · sel · poivre

Mélangez tous les ingrédients et laissez reposer au moins deux heures.

CONSEILS ET ASTUCES

L'estragon frais se conserve parfaitement dans le vinaigre. Avant de l'utiliser, il faut le rincer abondamment à l'eau froide.

LE LAURIER

Le laurier non rustique provient d'Asie mineure et de l'Europe méridionale. Dans les régions plus septentrionales, le laurier est cultivé en serre froide. Dans l'antiquité, la couronne de laurier était déjà le symbole de la gloire et du triomphe. Les Grecs vouaient le laurier au culte du dieu Apollon.

Le laurier est un arbuste ou un arbrisseau pouvant atteindre 5 m de haut et 2 m d'envergure. Les tiges et le tronc sont ligneux. La feuille de laurier est solide, vert foncé et effilée. Le laurier se plante au printemps dans un endroit ensoleillé et abrité. En hiver, il convient de bien le protéger. Le laurier a une croissance très lente. Actuellement, le laurier est une plante d'intérieur très appréciée.

Les jeunes feuilles de laurier, fraîches ou séchées, s'utilisent dans les potages, les marinades, les préparations de viande, de poisson ou de légumes (plus spécialement le chou et les betteraves), les sauces, les conserves et les pickles. Le laurier se marie parfaitement avec d'autres herbes, par exemple, le persil et le thym. Il est recommandé de garder les feuilles de laurier séchées à l'abri de la lumière dans un récipient hermétique. Même ainsi, elles ne se conservent guère plus de deux ans. Les feuilles réduites en poudre se conservent moins longtemps. Les feuilles prélevées sur un arbuste cultivé dans le jardin sont les plus aromatiques.

Les feuilles de laurier s'utilisent avec modération, car leur arôme est rapidement prédominant. Les très jeunes feuilles s'utilisent fraîches. Elles ont une saveur épicée et amère.

BROCHETTES DE FOIE
AUX FEUILLES DE LAURIER

1 demi livre de foie de porc découpé en dés ·
une poignée de jeunes feuilles de laurier
fraîches · sel · huile d'olive

Passez les feuilles de laurier sous l'eau froide et épongez-
les. Alternez les feuilles de laurier et les dés de foie.
Salez, poivrez et badigeonnez les brochettes avec l'huile
d'olive. Faites cuire les brochettes au gril ou au barbecue.

HARENGS MARINES

4 harengs saurs · 2 oignons · 1 cornichon
aigre-doux · quelques branches d'aneth ·
1 c. s. de câpres · 2 feuilles de laurier ·
2 clous de girofle · 10 grains de poivre noir ·
1/8 l de vinaigre de vin · sel · poivre ·
1 c. c. de sucre

Passez les harengs sous l'eau froide et séchez-les avec du
papier absorbant. Prenez un bocal de verre très propre et
déposez-y les harengs, les oignons découpés en rondelles,
le cornichon détaillé en tranches, l'aneth haché et les câpres. Dans une casserole, portez à ébullition le vinaigre de
vin additionné des feuilles de laurier, des clous de girofle,
des grains de poivre et du sucre.
Faites bouillir quelques instants avant de laisser refroidir.
Versez le mélange refroidi dans le bocal. Fermez le bocal
avec de la cellophane. Placez pendant 24 heures dans un
endroit frais. Faites égoutter les harengs avant de servir.
Délicieux accompagné de pain de seigle.

CONSEILS ET ASTUCES

*L'arôme du riz se préserve mieux si vous mettez une feuille
de laurier dans la boîte de riz.*
*Le laurier est efficace contre les contusions et les ecchymo-
ses.*

LA MARJOLAINE

La marjolaine est la variété cultivée de l'origan sauvage.
La marjolaine est une plante rustique annuelle originaire
d'Europe centrale.
L'origan est une plante vivace originaire du bassin méditerranéen.

La marjolaine est une plante
aromatique pouvant atteindre
20 cm de haut et 15 cm de
large. Sa tige, ligneuse dans le
bas, se ramifie vers le haut. Le
bas de la tige est brun, vers le
haut, elle est verte. La feuille
est tendre, ovale et gris-vert.
La plante se couvre de petites
fleurs blanc-rose. Les graines
sont petites, rondes et brun
foncé.

Combinée ou non avec d'autres herbes aromatiques, la
marjolaine convient aux potages, sauces, hachis, pois,
pommes de terre rissolées, viandes et plats mijotés, œufs et
fromage. Notons qu'en Allemagne, la marjolaine s'ap-
pelle l'herbe à saucisses.
L'origan s'utilise beaucoup dans les pizzas et les pâtes. La
saveur de l'origan est très prononcée. Cette herbe s'utilise-
ra donc avec modération. Une cuillerée à café d'origan ou
de marjolaine séchée métamorphose la saveur d'une salade
de fruits. Laissez infuser quelques instants avant de servir.
Une cuillerée à café de marjolaine additionnée à l'eau de
cuisson donne un goût particulier aux pommes de terre. La
marjolaine s'utilise également pour parfumer le vinaigre.
Séchés, la marjolaine et l'origan se conservent environ
trois mois dans un pot hermétique.

POMMES DE TERRE A LA MARJOLAINE

1 kg de pommes de terre · 1 oignon · sel ·
poivre · 2 c. c. de marjolaine fraîche hachée ·
1/4 l de bouillon de viande · quelques branches de persil

Lavez, épluchez et coupez les pommes de terre en dés.
Emincez l'oignon et faites-le blondir dans une casserole.
Ajoutez les dés de pomme de terre. Salez et poivrez.
Faites chauffer le bouillon et versez-le sur les dés de pommes de terre. Recouvrez la casserole et laissez mijoter 15
minutes à petit feu. Versez le tout dans un plat à gratin.
Parsemez de noisettes de beurre et placez sous la grille du
four préchauffé. Délicieux avec un rôti de porc accompagné d'une salade verte.

SAUCE PROVENCALE

2 oignons · 1 gousse d'ail · 250 g de tomates
· 2 c. c. de marjolaine · 3 c. s. d'huile d'olive
· 1 verre de vin blanc · poivre · sel · persil.
1/4 l de bouillon

Epluchez et émincez les oignons. Pressez la gousse d'ail,
pelez les tomates, éliminez le jus et les graines. Coupez la
chair en morceaux. Faites chauffer l'huile d'olive et faites
blondir les oignons et l'ail. Ajoutez les morceaux de
tomate et la marjolaine. Laissez revenir quelques instants
en remuant. Réchauffez le bouillon, et ajoutez-le après
avoir rectifié avec le sel et le poivre. Laissez cuire sans
couvercle à feu vif. Ajoutez le vin en fin de cuisson.

CONSEILS ET ASTUCES

*Le thé de marjolaine est efficace contre le mal d'estomac.
Mettez 1 cuillerée à café de marjolaine séchée dans une
tasse et ajoutez de l'eau bouillante. Laissez infuser quelques minutes et buvez à petites gorgées.*

LE PERSIL

Le persil est une fine herbe très connue, appartenant à la famille des ombellifères. Utilisé depuis très longtemps, il est probablement originaire du bassin méditerranéen.

Le persil est une plante bisannuelle qui atteint 30 cm de haut et 20 cm de large. La racine est blanche. La tige tendre est verte. La feuille est verte et frisée. Les fleurs sont jaunes et jaune-vert. Le persil est une plante rustique qui se développe le mieux dans le sol humide et fertile d'un endroit abrité. Le persil peut également se cultiver à l'intérieur. Il contient beaucoup de vitamine C et de carotène.

Les parties les plus utilisées sont les feuilles. Mais les tiges et les racines peuvent également s'utiliser à des fins culinaires. Le persil est une des plantes les plus utilisées comme exhausteur de goût et garniture des préparations. Comme il supporte mal la cuisson, on veillera à ajouter le persil en fin de cuisson ou juste avant de servir.

Le persil s'utilise pour aromatiser les soupes, les sauces, les ragoûts, les préparations de poisson, de volaille et d'œufs, les salades, les légumes et les pommes de terre. Le persil à couper ou persil plat a une saveur un peu plus prononcée que le persil frisé. Le persil frisé s'utilise de préférence comme garniture. Les branches de persil peuvent être frites pour servir de garniture ou d'appoint. Le persil se cuisine également comme légume. Faites revenir une échalote et quelques gros bouquets de persil dans un fond de beurre. Laissez faner le persil et servez à la manière des épinards.

Le persil séché se conserve environ 3 mois. Passé ce délai, il perd son arôme et sa saveur.

SAUCE AU PERSIL

100 g de beurre · 25 g de farine · 1/2 l de
bouillon de volaille · 1 bouquet de persil ·
un trait de jus de citron · 1 c. s. de vin blanc
· sel · crème fraîche

Faites fondre 25 g de beurre dans une poêle, ajoutez la
farine et laissez revenir jusqu'à ce que le beurre ait com-
plètement absorbé la farine. Ajoutez progressivement le
bouillon et le vin sans cesser de remuer. Continuez à
mélanger jusqu'à ce que la sauce soit onctueuse et homogène. Ajoutez le restant du beurre à la sauce et salez.
Hachez finement le persil et incorporez-le à la sauce avec
le jus de citron et la crème fraîche. Servez très chaud pour
accompagner, par exemple, le poisson, la viande bouillie
ou grillée.

POMMES DE TERRE PERSILLEES

pommes de terre cuites chaudes · 50 g de
beurre · quelques bouquets de persil

Disposez les pommes de terre chaudes dans un plat. Faites
chauffer le beurre et versez-le sur les pommes de terre.
Saupoudrez de persil finement haché et servez sans attendre. Délicieux pour accompagner le poisson ou la viande.
Les pommes de terre nouvelles se prêtent le mieux à cette
préparation. Il importe d'utiliser des pommes de terres à
chair ferme (les cuire en robe de chambre); les pommes de
terre à chair farineuse sont à éviter.

CONSEILS ET ASTUCES

*Le persil est apéritif, diurétique et dépuratif. Il stimule éga-
lement la digestion. Le persil se conserve mieux lorsque ses
feuilles, débarrassées de leurs tiges, sont épongées et
rangées dans une boîte hermétique placée au réfrigérateur.
Mâcher du persil rafraîchit l'haleine.*

LE RAIFORT

Originaire d'Europe de l'Est, le raifort est actuellement répandu dans toute l'Europe, cultivé ou à l'état sauvage.
Le raifort est un condiment aromatique à saveur très prononcée. Pelé et râpé, le raifort dégage des huiles essentielles qui irritent fortement les muqueuses du nez et des yeux.

Le raifort est une plante vivace de la famille des crucifères. La plante atteint environ 70 cm de haut et 100 cm de large. La racine charnue blanche s'ancre profondément dans le sol. La feuille est joliment ondulée. Il faut surveiller le développement de la plante, faute de quoi, elle risque d'envahir le jardin. Avant la plantation, il convient d'enfouir quelques dalles à un demi-mètre de profondeur et d'éliminer les racines latérales de la plante.

La racine est la seule partie utilisée. Sa saveur est fortement épicée. Râpée, elle dévoile tout son parfum. Le raifort est également disponible sous la forme de poudre.
Le raifort s'utilise dans les soupes, les sauces, des préparations de viande, de poulet, de légumes, d'œufs et de poisson. Il parfume également les conserves de hareng, de betteraves et les pickles.
Comme il perd sa saveur à la cuisson, il s'ajoute en dernier, juste avant de servir.
Le raifort râpé est disponible en pots. Le raifort fraîchement haché s'oxyde rapidement; il faut y ajouter un trait de jus de citron ou de vinaigre. Une racine entamée se conserve très bien dans un peu de sable humide ou dans de l'eau.

SAUCE CHAUDE AU RAIFORT

30 g de beurre · 30 g de farine · 1 oignon ·
3/4 l de bouillon de viande · 2 c. s. de raifort
râpé · sel · 1/2 jus de citron · 150 ml de
crème fraîche

Faites fondre le beurre dans la casserole. Ajoutez l'oignon émincé puis la farine et faites blondir. Réchauffez le bouillon dans une autre casserole et ajoutez-le progressivement. Remuez pour obtenir une sauce onctueuse et homogène. Ajoutez le raifort, le sel et le jus de citron, puis la crème fraîche sans cesser de remuer. Réchauffez la sauce et servez sans attendre. Cette sauce accompagne le bœuf bouilli, la langue de bœuf ou la côtelette.

BEURRE AU RAIFORT

100 g de beurre · 3 branches de persil ·
2 c. s. de raifort râpé · sel · poivre ·
une pointe de sucre ·
1 c. c. de jus de citron

Mettez le beurre dans un ravier et laissez-le ramollir à température ambiante. Lavez, épongez et hachez finement le persil. Incorporez le persil haché et le raifort au beurre ramolli. Ajoutez le sel, le poivre, le sucre et le jus de citron. Mélangez le tout. Laissez durcir le beurre au réfrigérateur ou faites-en un rouleau à l'aide d'une feuille. Découpez des rondelles de beurre mélangé. Délicieux pour accompagner le poisson, mais également le poulet et la viande grillée.

CONSEILS ET ASTUCES

Le raifort râpé stimule la digestion. Des études ont démontré que la substance âcre contenue dans le raifort est fortement bactéricide. Le raifort est parfois surnommé la pénicilline du jardin.

LE THYM

Le thym a été implanté dans nos régions par les Romains. Le thym pousse depuis toujours dans les régions littorales du bassin méditerranéen. Le thym s'est acclimaté dans toute l'Europe. Tout le sud de la France fleure bon le thym. Depuis toujours, le thym croît à l'état sauvage.

Le thym appartient à la famille des labiées. La plante atteint 20 à 40 cm de haut et 20 à 40 cm de large. La plante présente des tiges ligneuses garnies de petites feuilles légèrement allongées et ovales. Les petites feuilles sont gris-vert. Elles sont regroupées autour des tiges. Si vous cultivez le thym dans votre jardin, vous avez le choix entre le thym vivace (qui est un arbuste nain) et la plante annuelle. Le thym annuel est plus aromatique.

On utilise les feuilles fraîches ou séchées. Le thym séché est également disponible sous forme de poudre. Le thym parfume le bouillon, les soupes, les soupes aux pommes de terre, aux pois et aux lentilles, les viandes, le poisson, la volaille et les légumes, les sauces italiennes et le lapin.
Le thym rehausse également la saveur des tomates, des préparations au fromage, des marinades, du vinaigre et des assaisonnements de salade. Jetez une poignée de thym sur les braises du barbecue pour parfumer vos grillades.
Le thym occupe une place de prédilection dans le bouquet garni. Le bouquet garni classique se compose de la manière suivante: 1 branche de thym, 1 feuille de laurier, 1 carotte, quelques branches de persil. Le bouquet est ficelé ou placé dans un sachet de coton. Le bouquet infuse durant la préparation. Il s'enlève en fin de cuisson. Le thym développe un arôme très puissant, il faut donc en user avec modération.

TOMATES AUX ŒUFS

4 tomates de chair · sel · poivre · thym séché .
beurre · 4 œufs · une pincée de persil

Lavez et séchez les tomates, découpez le chapeau et videz-les avec une cuillère à café. Laissez égoutter les tomates à l'envers. Saupoudrez l'intérieur de sel, poivre et thym. Mettez une noisette de beurre dans chaque tomate. Enduisez quatre ramequins de beurre. Disposez une tomate par ramequin et cassez-y un œuf. Placez les ramequins au milieu du four préchauffé (220°C) pendant 10 minutes.

LAPIN A L'ETUVEE

1 lapin paré et découpé (1500 g) · sel ·
poivre · 4 c. s. de moutarde · le zeste d'un
citron · 6 tranches de lard frais ·
50 g de beurre · 2 branches de thym ·
1/8 l de bouillon de viande · 1 verre de vin
blanc · sel · poivre

Badigeonnez les morceaux de lapin avec le sel et la moutarde. Saupoudrez-les avec le zeste râpé. Bardez les morceaux de lapin avec le lard. Faites fondre le beurre et dorez le lapin. Ajoutez le thym, le bouillon et le vin. Portez à ébullition et rectifiez avec le sel et le poivre. Laissez mijoter la viande pendant 1 1/2 heure. Placez la viande dans un plat, filtrez le jus et versez-le sur la viande. Délicieux, accompagné de pommes de terre, de petits pois et de compote de pommes.

CONSEILS ET ASTUCES

Le thé de thym est efficace contre le rhume (1/2 cuillerée de thym par tasse). Une infusion concentrée de thé de thym peut s'ajouter à l'eau du bain. Elle est également efficace contre le rhume.

LE BASILIC

Le basilic, jadis appelé "l'herbe des rois", est originaire de l'Inde. Il s'est facilement acclimaté dans le bassin méditerranéen. Le basilic est une plante aromatique dont le parfum très prononcé et très caractéristique ne recueille pas l'unanimité des suffrages.

Le basilic est une plante annuelle de la famille des labiées. Il se cultive au jardin, sur le balcon ou à l'intérieur. Il atteint une hauteur de 90 cm et une largeur de 50 cm. La tige de couleur verte est relativement coriace. La feuille plutôt effilée est d'un beau vert. Les feuilles, qui atteignent 5 cm de long, se récoltent avant la floraison.

Frais ou séché, le basilic s'accommode très bien avec les soupes, les salades, les sauces, les poissons, les légumineuses, les légumes, les crudités et les viandes. Il est indissociable des préparations italiennes, voire indispensable à la sauce au pesto italienne. Il se marie très bien avec l'ail et le thym.

Comme sa saveur prononcée devient rapidement prédominante, le basilic s'utilise avec parcimonie. Le parfum délicat du vinaigre et de l'huile au basilic conviennent à un grand nombre de préparations.

Il peut accompagner toute la cuisine. Le basilic séché conservé dans un pot hermétique garde son arôme et sa saveur pendant six mois.

Le basilic supporte très bien la congélation. Il résiste moins bien à la réfrigération. Un bouquet de basilic se conserve mieux dans l'huile.

PESTO

100 g de feuilles de basilic frais · 2 gousses
d'ail · sel · 100 g de parmesan râpé · 50 g de
pignons de pin · 6 c. s. d'huile d'olive ·
poivre

Le pesto est un mélange d'épices italien, servant à parfumer les soupes, les pâtes et les viandes. Le pesto requiert un basilic extrêmement frais. Lavez, épongez et hachez menu le basilic. Mettez-le dans un mortier et ajoutez l'ail pressé. Pilez le tout en ajoutant le sel, le fromage, les pignons de pin, l'huile d'olive et le poivre. Ecrasez et mélangez longuement. Mettez le pesto dans un récipient hermétique que vous conserverez au réfrigérateur.

SAUCE TOMATE AU BASILIC

500 g de tomates · 1 oignon · 1 gousse d'ail ·
une noisette de beurre · 1/2 jus de citron ·
1 c. c. de bouillon de volaille concentré en
cube · poivre · 6 feuilles de basilic ou 1/2 c.
c. de basilic séché · sel · poivre · poudre de
paprika

Pelez les tomates, épépinez-les et hachez grossièrement la chair. Epluchez et émincez l'oignon et l'ail. Faites fondre un morceau de beurre dans une casserole et faites-y revenir les tomates, l'oignon et l'ail. Ajoutez le jus de citron et le bouillon en cube. Rectifiez. Laissez mijoter une dizaine de minutes. Passez la sauce au chinois, puis incorporez le basilic haché, le sel, le poivre et la poudre de paprika.

CONSEILS ET ASTUCES

L'infusion de basilic séché soulage les nausées et les maux d'estomac (1 c. à thé de basilic séché pour 1 tasse d'eau bouillante). Les feuilles de basilic frais ont un effet relaxant.

LA SARRIETTE

Originaire de l'Europe méridionale, la sarriette est actuellement cultivée dans les régions plus septentrionales. Elle figure parmi les plantes aromatiques les plus anciennes. Les Romains buvaient des infusions de sarriette, réputées aphrodisiaques. En raison de sa saveur poivrée, la sarriette est également appelée "l'herbe poivrée". Sa saveur est épicée et tonique.

La sarriette est une plante annuelle de la famille des labiées, dont il existe deux variétés: la sarriette d'hiver et la sarriette d'été. La plante atteint environ 30 cm de haut et 15 cm de large. La tige droite de couleur vert foncé, se ramifie en son sommet. La feuille gris-vert est grasse et effilée. La sarriette forme un petit arbuste. Les deux variétés poussent le mieux dans un endroit très ensoleillé.

Les feuilles de sarriette s'utilisent fraîches ou séchées. La sarriette convient naturellement aux légumineuses (princesses, haricots mange-tout, capucines), aux ratatouilles, aux viandes et au gibier, aux salades de tomates et de concombres, aux poissons et aux farces de volaille. La sarriette s'utilise également dans les conserves de cornichons et pour parfumer l'huile et le vinaigre. Il faut en user avec modération, car sa saveur a rapidement tendance à prédominer.
La sarriette rappelle la saveur poivrée et corsée du thym. Son arôme ne s'altère pas à la cuisson.
La sarriette séchée se conserve pendant 1 an 1/2 dans un endroit sec à l'abri de la lumière.

SOUPE AUX HARICOTS

500 g de haricots · 150 g de pommes de terre
· 1 l de bouillon de viande · un peu de farine
· 2 c. s. de sarriette séchée · 1 gobelet de
crème aigre · sel

Equeutez, effilez et cassez les haricots en morceaux.
Epluchez les pommes de terre et coupez-les en morceaux.
Faites cuire les haricots et les pommes de terre avec la sarriette dans le bouillon. Mixez la soupe dans un mélangeur et liez-la avec un peu de farine préalablement diluée dans un peu de bouillon froid. Laissez mijoter pendant une dizaine de minutes. Salez et ajoutez la crème aigre avant de servir. Plongez-y éventuellement quelques petites saucisses de Francfort. Le résultat est surprenant.

PETITS POIS A L'ETUVEE

1 oignon · 40 g de beurre · 500 g de petits
pois fraîchement écossés · 1 branche de
sarriette · 1 pointe de sucre · sel · poivre

Epluchez et émincez l'oignon. Faites fondre le beurre dans une casserole et faites revenir l'oignon. Ajoutez les petits pois et la sarriette, le sucre, le sel et le poivre. Mouillez avec un peu d'eau. Laissez cuire à petit feu pendant 10 minutes. Otez la branche de sarriette avant de servir.

CONSEILS ET ASTUCES

La sarriette stimule l'appétit et la digestion. Sa saveur légèrement poivrée relève les régimes pauvres en sel. La sarriette est une alternative au poivre.

LA MENTHE VERTE

La menthe verte est une plante endémique de l'Europe méridionale, mais elle s'est propagée partout en Europe. Cultivées ou sauvages, il existe de nombreuses espèces de menthe, mais la menthe verte est la plus répandue.

La menthe verte est une plante vivace de la famille des labiées, pouvant atteindre 50 cm. Elle a tendance à envahir les jardins. En fait, la majeure difficulté consiste à limiter sa propagation. Sa tige verte est anguleuse. Le bas de la tige est plutôt robuste. La feuille a une couleur vert clair. En automne, la plante produit de petites fleurs violet clair.

On utilise les feuilles fraîches ou séchées de la menthe verte, généralement en combinaison avec d'autres herbes pour parfumer les sauces, les soupes, les rôtis, les salades, le chutney, les longdrinks, les gelées, le thé, la glace. Elle s'incorpore également à la crème fraîche et au yaourt.

La glace aux tomates parfumée à la menthe est une préparation très originale. La crème à la menthe est délicieuse accompagnée d'une salade de fraises. Les feuilles de menthe hachées sont alors mélangées à la crème chantilly. L'huile de menthe exalte les assaisonnements. Il faut alors réchauffer doucement l'huile (et la laisser infuser à la manière du thé à la menthe). Laissez refroidir avant de servir. Les feuilles de menthes sont souvent utilisées comme garniture. Le mint julep est une boisson très connue: il s'agit de whisky agrémenté de menthe fraîche et de glaçons. Jadis, le mint julep classique se servait dans des gobelets en argent.

La menthe a une saveur épicée et puissante très caractéristique. La sauce anglaise à la menthe est très célèbre. Elle s'utilise pour accompagner l'agneau.

MINT-SAUCE (SAUCE A LA MENTHE)

250 g de feuilles de menthe fraîches · 4 dl
d'eau bouillante · 125 g de sucre en poudre ·
5 dl de vinaigre de vin · sel

Versez l'eau bouillante sur les feuilles de menthe finement
ciselées. Ajoutez le sucre en poudre et laissez refroidir le
mélange. Incorporez le vinaigre et la pincée de sel. Cette
sauce rehausse la saveur de l'agneau.

MINT JULEP

10 glaçons · 3 branches de menthe fraîche ·
60 ml de bourbon whisky

Pilez la glace. Versez la glace pilée dans un grand verre.
Effeuillez 2 branches de menthe et mettez les feuilles dans
le verre. Ajoutez le whisky et mélangez doucement.
Décorez le verre avec une branche de menthe.

THE A LA MENTHE

Le thé à la menthe est une boisson particulièrement rafraî-
chissante. Utilisez 1 cuillerée à café de menthe séchée ou
10 feuilles de menthe fraîche pour une tasse d'eau bouillante. Au Maroc, la préparation du thé à la menthe se fait à
partir d'une grosse poignée de feuilles de menthe
mélangée à du thé chinois.

CONSEILS ET ASTUCES

*Les propriétés aromatiques de la menthe stimulent le fonc-
tionnement du cerveau. La menthe rafraîchit en quelque
sorte l'esprit. L'arôme de la menthe a également des effets
calmants sur l'organisme.*
*Les frictions aux feuilles de menthe fraîche font disparaître
les taches sur la peau.*

LA SAUGE

La sauge est originaire du sud de l'Europe, de l'Espagne et de l'ouest de la Yougoslavie. La sauge sauvage pousse spontanément dans le bassin méditerranéen. Elle s'est bien acclimatée dans nos régions.

La sauge est une plante rustique de la famille des labiées. Elle se cultive très facilement dans un endroit en-soleillé du jardin. En hiver, elle doit être protégée contre le gel. Elle peut atteindre une hauteur de 75 cm et une envergure du même ordre. Parce qu'elle est cultivée depuis longtemps, il en existe de nombreuses variétés. Elles se différencient par la couleur des feuilles, la couleur des fleurs, la saveur, l'arôme et la taille des plantes.

Les feuilles de sauge s'utilisent fraîches ou séchées. La sauge séchée est plus aromatique que la sauge fraîche. Elle parfume agréablement la volaille, le gibier, le porc, le foie, les farces (particulièrement la dinde ou l'oie), les marinades, les salades, la saucisse, les biscuits, les pâtes, le fromage, le vinaigre de vin et le thé. La sauge s'accommode bien avec des préparations riches en matières grasses, telles que l'oie, le canard, l'anguille et le porc. En combinaison avec d'autres herbes aromatiques, elle rehausse la saveur du mouton et de l'agneau.
Sa saveur s'apparente à celle de la menthe avec des nuances de camphre.
Une des plus anciennes recettes à la sauge est la Saltimbocca alla Romana (un saut dans la bouche). Comme son nom l'indique, il s'agit d'une recette romaine. Ce sont des escalopes de veau farcies au jambon et à la sauge. La saltimbocca accompagnée d'épinards frais ou de chou-fleur, et de pommes de terre ou de pâtes est un mets exquis.

SALTIMBOCCA

4 fines escalopes de veau · le jus d'un citron ·
sel · poivre · quelques tranches de jambon
cru · 12 feuilles de sauge fraîche ·
40 g de beurre · 1 1/2 l de vin blanc sec

Assaisonnez de jus de citron les escalopes préalablement aplaties. Salez et poivrez. Parez chaque escalope d'une tranche de jambon cru et de 3 feuilles de sauge. Pliez les escalopes et fixez-les au moyen d'une pique de bois. Faites chauffer le beurre dans la poêle et faites saisir les escalopes de chaque côté. Ajoutez le vin à petit feu et laissez mijoter 15 minutes.

SOUPE AUX ANGUILLES

500 g d'anguille fraîche · le jus d'un citron ·
légumes pour la soupe · 2 oignons ·
30 g de beurre · 2 tomates de chair ·
1 l d'eau · sel · poivre · 2 jaunes d'œufs ·
1 petit pot de crème fraîche ·
1 c. s. de feuilles de sauge hachées.

Nettoyez l'anguille et détaillez-la en tronçons de 3 cm. Assaisonnez les tronçons d'anguille avec le jus de citron et le sel. Chauffez le beurre et faites saisir la julienne de légumes et les oignons émincés. Pelez et hachez grossièrement les tomates. Ajoutez les tronçons d'anguille et les morceaux de tomates à la julienne et laissez cuire 5 minutes. Entre-temps, portez l'eau à ébullition. Ajoutez-la à la préparation. Poivrez et salez. Laissez mijoter jusqu'à ce que l'anguille soit tendre. Mélangez les jaunes d'œufs à la crème fraîche en battant et incorporez le mélange à la soupe.

CONSEILS ET ASTUCES

Les gargarismes au thé de sauge combattent les infections de la bouche et les maux de gorge.

LA CANNELLE

La cannelle est l'écorce intérieure séchée du cannelier. Il existe deux sortes de cannelle: la cannelle de Ceylan et la cannelle de Chine. Cette épice figure parmi les condiments les plus anciens. Les textes chinois datant de 2500 avant J.-C font déjà état de l'utilisation culinaire de la cannelle.

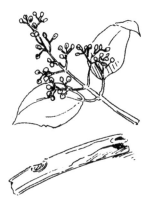

La saveur de la cannelle de Ceylan est délicieusement épicée. Sa couleur est brun clair. Elle se présente sous la forme de petits bâtons d'écorce. La cannelle de Chine est généralement moulue et mélangée à la cannelle de Ceylan. Cette poudre se vend en boîtes.

Dans la cuisine orientale, la cannelle est souvent associée aux viandes. Les bâtonnets de cannelle s'utilisent en infusion dans des préparations sucrées, des boissons chaudes, telles que le punch, le vin chaud et le chocolat chaud.
La cannelle moulue s'utilise pour rehausser la saveur des pâtisseries et des préparations au riz sucrées. Les liquoristes font un usage abondant de la cannelle de Ceylan. Elle entre notamment dans la composition de liqueurs telles que la crème de cacao, l'angustura, le sabayon et la chartreuse.
L'huile essentielle de cannelle est extraite des matières résiduaires de l'écorce du cannelier. Cette essence s'emploie en parfumerie et dans l'industrie pharmaceutique.
Mélangée à du sucre, la cannelle moulue s'utilise pour saupoudrer les desserts, par exemple les beignets aux pommes. La cannelle rehausse également la saveur du riz, du poisson, du poulet et du jambon.

SABAYON

Jadis, les naissances se célébraient au sabayon. Actuellement, le sabayon peut s'acheter chez l'épicier. Le sabayon maison est une boisson originale à présenter lors d'une naissance.

5 g d'écorce de cannelle · 10 clous de girofle .
1 zeste de citron râpé · 2 dl d'eau · 7 jaunes
d'œufs · 100 g de sucre · 1/2 l d'eau-de-vie .
1 bouteille de vin blanc

Mettez la cannelle, les clous de girofle et le zeste de citron râpé dans l'eau et laissez infuser durant une heure. Filtrez l'eau. Battez les jaunes d'œufs et le sucre jusqu'à ce que le mélange mousse. Ajoutez, sans cesser de battre, l'eau parfumée aux épices. Incorporez l'eau-de-vie. Placez le récipient dans une casserole préalablement remplie d'eau bouillante. Ajoutez le vin sans cesser de battre. Continuez à battre pour lier le sabayon.

POMMES A LA CANNELLE

500 g de pommes reinettes · 50 g de beurre ·
4 c. s. de vin blanc · 100 g de sucre ·
2 c. c. de cannelle moulue

Pelez et videz les pommes, puis coupez-les en quartiers. Faites fondre le beurre dans une casserole, ajoutez les quartiers de pomme et mouillez avec le vin blanc. Recouvrez la casserole et laissez cuire 10 minutes. Remuez de temps à autre.
Mélangez intimement le sucre et la cannelle. Saupoudrez les pommes avec le mélange. Présentez dans un plat et servez chaud.

CONSEILS ET ASTUCES

Mélangée au riz sec, la cannelle combat la diarrhée. La cannelle stimule le système digestif.

LE GINGEMBRE

Le gingembre est le rhizome d'un roseau oriental. D'après la légende, Marco Polo aurait découvert ces racines charnues à l'occasion d'un voyage en Chine vers la fin du 13ème siècle. La plante est actuellement cultivée en Asie, en Inde Occidentale, Indonésie, en Afrique occidentale et au Brésil.

La racine de gingembre s'utilise fraîche, séchée, moulue ou confite. Dans le commerce, on trouve également du gingembre au sirop et du sirop de gingembre. Le gingembre le plus délicat s'obtient à partir de jeunes rhizomes. Les connaisseurs accordent leur préférence au gingembre chinois.

Dans les cuisines chinoise et indonésienne, le gingembre frais s'emploie souvent en combinaison avec d'autres épices. Le rhizome de gingembre s'utilise râpé ou découpé en morceaux. Les morceaux de gingembre sont enlevés à la fin de la cuisson. Actuellement, le gingembre est disponible chez la plupart des épiciers et dans les supermarchés. Si sa saveur est plutôt acidulée, son arôme est plus subtil.
Le gingembre s'utilise pour accommoder les viandes, la pâtisserie, dans les conserves, dans le pudding, le flan, le fondant, les légumes, les soupes et les sauces. Le gingembre entre également dans la composition de l'huile et du vinaigre aux herbes.
Il s'utilise également dans la préparation de liqueurs, tant douces qu'amères et, bien évidemment, de la bière au gingembre, le ginger ale. La racine de gingembre possède des vertus thérapeutiques. Elle stimule l'appétit et la digestion, elle favorise le fonctionnement des nerfs et des glandes gastriques.

COCKTAIL AU GINGEMBRE

1 petit morceau de gingembre · 3 cubes de
glace · le jus d'un citron · 1 c. c. de sirop de
sucre · ginger ale

Hachez finement le gingembre. Mettez-le dans un shaker
avec les autres ingrédients. Agitez vigoureusement et versez le cocktail dans un verre. Complétez avec le ginger
ale.

PECHES AU GINGEMBRE

8 demi pêches en conserve · 6 c. s; de sirop
de gingembre · le jus d'une demi orange ·
1/2 jus de citron · une pointe de cannelle ·
2 boules de gingembre · 20 g d'amandes
effilées · éventuellement de la crème

Faites égoutter les pêches et répartissez-les dans quatre
coupes individuelles. Mélangez le sirop de gingembre, le
jus de citron, le jus d'orange et la cannelle. Versez ce
mélange sur les pêches. Saupoudrez d'amandes effilées et
garnissez éventuellement d'une touche de crème.

LA MUSCADE

La muscade est le noyau d'un arbre tropical. Cet arbre, souvent centenaire, atteint 18 mètres de haut.

L'arbre porte des fruits jaune foncé, protégés par un arille. L'écorce séchée de la noix de muscade est le macis. Il s'utilise également comme condiment. Si les noix de muscade que nous achetons sont blanches, c'est simplement parce qu'elles ont été chaulées afin d'empêcher leur germination et pour les préserver des insectes.

Dans le commerce, on trouve les noix de muscade entières ou en poudre. Il est préférable d'acheter des noix entières et de les râper. Il existe divers modèles de râpes et de moulins à muscade.

La muscade râpée s'utilise pour parfumer des légumes tels que le chou-fleur, la scarole, le chou-rave et les haricots. La muscade s'utilise également pour relever la saveur des sauces, des préparations aux pommes de terre, à la viande et au poisson, ainsi que des gâteaux. Elle entre également dans la préparation de la chair à saucisses et dans la composition des mélanges d'épices. La noix de muscade a un effet légèrement soporifique. C'est pourquoi, elle s'utilise pour parfumer les grogs. En grandes quantités, la noix de muscade est toxique, elle fait transpirer et augmente l'irritabilité.

Utilisée à des doses normales, elle a une action bénéfique sur l'estomac.

BEIGNETS AUX POMMES

4 reinettes · 150 g de farine · 1/4 l de bière ·
1 blanc d'œuf · 80 g de sucre en poudre · sel
· noix de muscade · 1 c. c. d'huile- huile de
friture · sucre, mélangé à de la cannelle

Pelez et évidez les pommes, et coupez-les en tranches. Mélangez la farine, la bière, le jaune d'œuf, le sucre, une pincée de sel et de noix de muscade, et l'huile. Battez le blanc d'œuf en neige et incorporez-le délicatement à la pâte. Faites chauffer l'huile à friture. Passez les tranches de pomme dans la pâte et faites frire quelques beignets à la fois. Laissez sécher sur du papier absorbant. Saupoudrez les beignets d'un mélange de sucre et de cannelle.

SAUCE BECHAMEL

40 g de beurre · 40 g de farine · 1/4 l de lait ·
1/4 l de bouillon · sel · poivre · 1 petit
oignon · noix de muscade râpée ·
une pincée de thym

Faites chauffer le lait. Laissez infuser l'oignon éminçé, le poivre et le sel, la noix de muscade râpée et le thym pendant 20 minutes dans le lait. Passez le lait au chinois. Faites fondre le beurre dans une casserole. Ajoutez la farine en remuant et faites revenir quelques instants. Versez progressivement le bouillon et le lait sans cesser de remuer, jusqu'à obtenir une sauce onctueuse et homogène. Rectifiez avec le sel, le poivre et la muscade. Cette sauce s'allie parfaitement avec le poisson, les légumes et la viande.

LE CLOU DE GIROFLE

Le clou de girofle est le bouton floral séché du giroflier, un arbre originaire d'Indonésie (Molluques), Madagascar et Afrique de l'Est (Zanzibar).

Les boutons floraux du giroflier sont récoltés avant la floraison et mis à sécher. La partie centrale ronde contient une huile essentielle, l'essence de girofle. Plongé dans l'eau, un clou de girofle coule s'il est de bonne qualité. Dans le cas contraire, ses huiles essentielles se sont volatilisées. Vous pouvez également contrôler cette fraîcheur par une simple pression entre les ongles. Si l'huile perle à la pression, le clou de girofle est bon à utiliser.

Le clou de girofle est un condiment très aromatique. Dans le commerce, on le trouve en vrac ou en poudre. Polyvalent, il entre dans la composition de nombreux mélanges aromatiques: dans les mélanges à pain d'épices, les épices à charcuterie et les épices à spéculoos. On l'ajoute également à la viande en daube et aux légumes (choux rouges et betteraves rouges). En Hollande, on trouve le fromage frison aux clous de girofle. Ce condiment s'utilise également pour parfumer les préparations aux fruits, les gâteaux, les liqueurs, le vin chaud, le vin à la cannelle et le punch.
Le clou de girofle favorise la digestion. On affirme à juste titre qu'un clou de girofle appliqué sur une carie soulage les douleurs dentaires.

MARINADE AU VIN ROUGE

3/4 l d'eau · 1 c. s. de sel · 10 grains de
poivre · 3 clous de girofle · 4 baies de genévrier · 1 feuille de laurier · 1 bouquet de
légumes à soupe · 2 oignons · 3,5 dl de vin
rouge · 1,5 dl de vinaigre de vin rouge

Portez à ébullition 3/4 l d'eau additionnée des épices et
des herbes. Nettoyez et coupez les légumes. Lavez et laissez égoutter la julienne de légumes. Epluchez et émincez
les oignons. Plongez la julienne de légumes et les oignons
émincés dans l'eau et laissez bouillir 10 minutes. Ajoutez
le vin rouge et le vinaigre de vin et laissez refroidir. Cette
marinade convient au gibier. La viande doit mariner 3 à 4
jours. N'oubliez pas de retourner la viande à intervalles
réguliers.

PUNCH AU THE

1/2 l d'eau · 2 c. s. de feuilles de thé · un
morceau de cannelle en bâton · 3 clous de
girofle · 1/2 l de vin rouge · 75 g de sucre de
canne · 1 verre de rhum · 1 orange ·
1/2 citron

Portez l'eau à ébullition. Rincez une théière à l'eau bouillante. Mettez-y le thé, les clous de girofle et la cannelle et
remplissez d'eau bouillante. Laissez infuser 5 minutes.
Réchauffez le vin additionné du rhum et les jus de citron
et d'orange pressés. Ne laissez plus bouillir le mélange.
Passez le thé, ajoutez le vin et laissez infuser le punch
dans une casserole recouverte.

LE POIVRE

Les trois sortes de poivre que nous connaissons, le poivre noir, le poivre blanc et le poivre frais ou vert, proviennent toutes de la même plante. Il s'agit d'une plante grimpante dont les fruits sont des baies.

Les grains de poivre noir sont les fruits séchés avant leur maturité. Ils ont une saveur très prononcée. Les grains de poivre blanc sont les fruits mûrs séchés dont on a enlevé les pellicules rouges. Quoiqu'elle soit plus douce, la saveur du poivre blanc est très aromatique. Le poivre blanc et le poivre noir sont vendus en grains ou en poudre. Les grains de poivre vert sont des baies immatures conservées dans de la saumure.

La saveur du poivre vert frais est moins amère mais néanmoins très aromatique. Du fait qu'il est conservé dans de la saumure, son goût est assez salé. Le poivre vert est délicieux dans les sauces qui accompagnent les viandes. En règle générale, il est inutile de saler la sauce. Les baies de poivre rose sont également conservées dans la saumure. La saveur du poivre rose est très délicate. Dans le commerce, on trouve également du poivre rose et vert séchés. Les grains de poivre rose sont des grains de poivre blanc qui n'ont pas été débarrassés de leur pellicule extérieure. Le poivre vert est séché légèrement, afin que la pellicule ne noircisse pas.
Les poivres vert et rose sont souvent mélangés aux poivres blanc et noir. Moulu, le poivre perd très rapidement son arôme et sa saveur. Le poivre moulu doit dès lors se conserver à l'abri de l'air. Toutes les sortes de poivre s'utilisent pour donner du piquant aux préparations. Le poivre exprime le mieux sa saveur lorsqu'il est moulu au moulin. Les grains de poivre s'utilisent également entiers ou concassés. Ils sont enlevés en fin de cuisson.

SAUCE AU POIVRE

1 c. s. de beurre · 1/2 oignon émincé · 1 c. s.
de moutarde · 1 dl de vin blanc sec · 250 ml
de bouillon de viande ou de jus de viande ·
1 c. s. de cognac · 200 ml de crème fraîche ·
sel · 1 c. s. de poivre blanc moulu · 2 c. s. de
poivre vert en grains

Faites chauffer le beurre et faites revenir l'oignon émincé.
Ajoutez la moutarde et le vin. Amenez à ébullition et
mouillez avec le bouillon ou le jus de viande, le cognac et
la crème. La sauce ne peut plus bouillir, sans quoi elle risque de tourner. Rectifiez avec le sel, le poivre moulu et le
poivre en grains. Laissez mijoter 5 minutes à petit feu.
Délicieux pour accompagner les viandes grillées, braisées,
sautées, fumées ou rôties.

CONCOMBRES A L'AIGRE-DOUX

2 kg de concombres · 2 l d'eau - sel · 400 ml
de vinaigre de vin · 500 g de sucre · un morceau de cannelle · 4 clous de girofle ·
10 grains de poivre blanc

Pelez les concombres et fendez-les en deux dans le sens
de la longueur. Coupez les moitiés en deux dans le sens de
la longueur et épépinez-les. Détaillez en tronçons de 5 cm.
Amenez 1,5 l d'eau à ébullition avec une pincée de sel,
plongez-y les tronçons de concombre et laissez cuire 5
minutes. Egouttez dans une passoire.
Dans une autre casserole, portez à ébullition le vinaigre, le
demi-litre d'eau restant, le sucre, la cannelle, les clous de
girofle et les grains de poivre. Faites bouillir ce mélange
pendant environ 5 minutes.
Remplissez quelques pots très propres avec les morceaux
de concombre. Filtrez le bouillon, portez-le à ébullition et
versez-le directement sur les tronçons de concombre.
Recouvrez les pots avec de la cellophane.
Rangez dans un endroit frais et laissez reposer pendant 15
jours au moins. Délicieux pour accompagner le poisson et
la viande.

LE CURRY

Le curry n'est pas une épice, mais bien un mélange d'épices. Selon les recettes, douze à trente épices et herbes entrent dans sa composition.

Les principales épices utilisées pour la fabrication du curry sont: le piment, les graines d'anis, la feuille de laurier, les graines de cumin ou de carvi, la cardamome, la cannelle, le clou de girofle, la coriandre, le gingembre, la muscade, le piment et le curcuma.

L'arôme du curry dépendra des proportions des différentes épices. Les recettes anglaises de curry sont souvent les plus épicées.
La cuisine indienne fait un usage abondant du curry. Souvent, il est préférable de le fabriquer selon sa propre recette, car le meilleur curry ne s'achète pas au supermarché. Les boutiques orientales proposent différents mélanges de curry. Certains mélanges sont doux, d'autres très relevés. Plus la couleur est foncée, plus sa saveur est forte. Le curry s'utilise pour relever la saveur des sauces et des soupes, pour accompagner la viande, la volaille, le poisson, les légumes et les préparations aux pommes de terre.
Le curry stimule le fonctionnement des glandes, de l'estomac et des intestins.
Nous vous proposons de réaliser un merveilleux mélange de curry maison.

CURRY MADRAS

1 c. s. de coriandre moulue · 2 c. c. de poudre d'ail · 1 c. s. de cumin moulu · 2 c. c. de
curcuma moulu · 1 c. c. de poudre de gingembre · 1/2 c. c. de piment moulu · 1 c. c.
de poudre de piment de Cayenne · 1 c. s. de
sel · 1 c. s. de poivre noir moulu · 1/2 c. s. de
poudre de moutarde · 1 pointe de safran
moulu.

Mettez tous les ingrédients dans un pot muni d'un couvercle à visser. Secouez vigoureusement. Ce délicieux mélange de curry remplacera avantageusement le curry ordinai-
re.

ŒUFS A LA SAUCE CURRY

1/2 l de bouillon de poule · 2 oignons
émincés · 3 c. s. de poudre de piment de
Cayenne · 1 gousse d'ail pressée · 3 c. c. de
curry (madras) · 1 petite boîte de purée de
tomates · sel · 4 œufs durs

Mettez tous les ingrédients, à l'exception des œufs durs,
dans une casserole. Portez à ébullition en remuant. Salez.
Ecalez les œufs. Coupez-les en deux dans le sens de la
longueur. Glissez les demi œufs dans la sauce et faites-les
réchauffer.
Servez avec du riz ou de la baguette et une salade verte.

LE PAPRIKA

Le paprika est issu d'un croisement entre le piment et le poivron.

Il existe différentes sortes de poudre de paprika, même si la plupart proviennent de Hongrie.

Le paprika doux est rouge vif. Cette poudre provient de fruits mûrs, débarrassés des graines et des arilles. Ceux-ci sont ajoutés ultérieurement après élimination de la substance âcre qu'ils contiennent. Le paprika extra-doux est fabriqué de la même manière, mais sa couleur est un peu plus sombre et son goût, un peu plus âcre.

La poudre de paprika rose est préparée à partir des fruits entiers, non débarrassés de leurs graines ni de leurs arilles. Sa couleur est foncée, sa saveur est âcre.

Le paprika rose extra-fort se prépare de la même manière que le paprika rose, mais on y ajoute encore des graines et des arilles. Cette poudre est très piquante.

La poudre de paprika doit se conserver à l'abri de la lumière dans un récipient hermétique, sans quoi sa saveur et son arôme s'éventent rapidement. La quantité utilisée dépendra de l'âcreté du paprika.

Il ne faut jamais enduire la viande de paprika, car cette poudre se caramélise à haute température et devient amère. Elle peut toutefois être cuite à petit feu.

La poudre de paprika rehausse la sa-veur des sauces de viande, des préparations au riz. Ce condiment est indispensable à la préparation de la goulasch. Le paprika favorise la digestion et stimule le fonctionnement des glandes.

LE PIMENT

Le piment est le fruit de l'arbre à piments, de la famille du poivron, les solanacées. Au rayon des produits frais, nous trouvons le piment vert et le piment rouge. Ce sont surtout les graines du piment rouge qui ont une saveur brûlante.

Plus le piment est petit, plus son goût est prononcé. Les piments les plus petits sont mis en conserve et vendus en pots. Ces petits piments sont particulièrement forts. Ils s'utilisent dans les préparations indonésiennes.

Le piment apparaît dans la cuisine indonésienne sous le nom de "lombok". Le piment est l'ingrédient principal des différentes et nombreuses sortes de sambal. Souvent, elles contiennent les graines du piment, dont la saveur est très forte. Chez nous, le piment est généralement débarrassé de ses graines avant son utilisation. Nous recommandons d'éliminer les graines sous le robinet. Ne vous frottez jamais les yeux après avoir épépiné des piments!
Le piment se vend frais, séché et en poudre. Le piment en poudre est moins aromatique. Si une préparation requiert du piment, et si vous n'en avez pas sous la main, utilisez un peu de sambal oelek. En effet, ce mélange aromatique se compose uniquement de piment moulu. Le piment séché rehausse la saveur des soupes, des bouillons, des sauces, des conserves de fruits, de viande et des pickles. Le piment est généralement importé, mais certaines espèces sont également cultivées dans nos serres.

LE SAFRAN

Le safran est une épice provenant du *crocus sadivus*. Le safran est obtenu à partir des étamines séchées de cette plante. Il est cultivé en Espagne, dans le sud de la France et en Italie.

Le safran est une épice qui vaut son pesant d'or. En effet, il faut entre 60 000 et 80 000 fleurs cueillies à la main pour produire un kilo d'étamines. Comme sa saveur est très prononcée, on évitera d'en abuser.

Le safran est un colorant jaune vif particulièrement efficace. Les étamines se vendent séchées. Elles se présentent sous la forme de filaments ou de poudre.

Veillez toujours à acheter le véritable safran. Il doit se conserver dans un récipient hermétique, car il craint l'humidité, qui lui fait perdre son arôme. Le safran parfume agréablement les préparations au riz, les gâteaux, les soupes, et plus particulièrement la bouillabaisse et de nombreuses préparations de poisson italiennes et espagnoles. Deux étamines suffisent à parfumer toute une paella.

Le safran a également une action médicinale. Une pointe de safran dissoute dans un verre d'eau tiède est un gargarisme efficace contre les maux de gorge et les infections de la bouche.

LA VANILLE

La vanille est le fruit séché du vanillier, une orchidée originaire du Mexique. La vanille est essentiellement cultivée dans les îles de l'Océan indien. Elle s'utilise principalement pour la fabrication des confiseries, des glaces et des pâtisseries.

Les fruits, appelés gousses, sont cueillis avant leur maturité. Les gousses humides sont réchauffées et ensuite séchées. Elles se transforment alors en bâtonnets noirs et luisants, à l'arôme et à la saveur délicats. Le vanillier peut se cultiver dans une ser-re chaude. La vanilline est la substance aromatisante de la gousse de vanille.

Dans une gousse de vanille fendue, on peut voir la moelle noire et très aromatique. Il existe également de la vanille de synthèse que l'on trouve sous la forme de sucre vanillé. Son goût est nettement moins parfumé, car le sucre vanillé ne contient pas d'huiles essentielles. Dans le commerce, on trouve également l'essence de vanille. Elle se prépare à partir de bâtonnets de vanille mis à infuser dans de l'alcool.

La vanille s'utilise dans des préparations sucrées, telles que la pâtisserie, le flan, les boissons, le pudding, la confiserie et les liqueurs. Le bâtonnet de vanille est cher, mais il peut s'utiliser plusieurs fois.

Après utilisation, il suffit de le rincer à l'eau froide et de le conserver dans un récipient hermétique. Il peut également se conserver dans du sucre. Le sucre s'imprègne de l'arôme de la vanille et devient du sucre vanillé. La vanille est efficace contre la nervosité. Faites infuser un bâtonnet de vanille dans du lait ou dans du chocolat chauds.

PREPARATIONS D'HUILES, DE VINAIGRETTES ET D'INFUSIONS

HUILE AROMATISEE AUX HERBES

4 branches de thym frais · 2 branches
d'estragon frais · 2 branches de basilic frais ·
2 c. c. de poivre noir en grains · 4 baies de
genévrier · 1 l d'huile de maïs

Rincez les condiments et les fines herbes sous l'eau froide
et laissez-les égoutter. Séchez-les avec du papier absorbant.
Nettoyez 2 bouteilles d'une contenance de 50 cl.
Ebouillantez-les et laissez-les égoutter à l'envers. Mettez
dans chaque bouteille 2 branches de thym, 1 branche
d'estragon, 1 branche de basilic, 1 cuillerée à café de poivre
noir en grains et 2 baies de genévrier. Remplissez d'huile et
laissez reposer au frais pendant un mois au moins. Cette
huile aromatisée aux herbes se conserve environ un an.
L'amateur peut remplacer l'huile de maïs par de l'huile
d'olive. Réalisée à partir d'huile de maïs, l'huile aromatisée
aux herbes conserve une saveur plus neutre. L'huile aromatisée est délicieuse sur une salade, dans une marinade ou sur
une viande destinée à être grillée au barbecue.
Vous pouvez également laisser libre cours à votre imagina-
tion et utiliser d'autres combinaisons d'herbes et d'aromates. Il suffira alors d'augmenter les quantités proposées. Si
vous désirez que votre huile aromatisée soit plus relevée,
ajoutez aux fines herbes un piment fendu en deux dans le
sens de la longueur.

MELANGE AROMATIQUE

1 c. s. de poudre d'ail · 1 c. c. de basilic
séché · 1 c. c. de sarriette séchée · 1 c. c. de
poudre d'oignon · 1,5 c. c. de poivre noir
moulu ·1 c. c. de sauge séchée

Mettez tous les ingrédients dans un pot muni d'un couvercle à visser et agitez vigoureusement. Convient à toutes
les préparations.

VINAIGRE AROMATISE AUX FINES HERBES

1 branche de thym frais · 4 branches d'estragon frais · 2 branches de basilic frais ·
1 piment rouge · 1 gousse d'ail · 2 c. c. de
poivre noir en grains · 4 baies de genévrier ·
1 bouteille de vinaigre blanc naturel

Rincez les fines herbes sous l'eau froide, laissez-les égoutter et épongez-les avec du papier absorbant. Lavez le
piment rouge, fendez-le dans le sens de la longueur et épé-
pinez-le. Pelez la gousse d'ail et coupez-la en deux. Versez
le vinaigre dans deux bouteilles très propres d'un demi-
litre. Répartissez les aromates entre les deux bouteilles.
Bouchez les bouteilles et laissez reposer le vinaigre durant
deux semaines. Filtrez le vinaigre avant l'utilisation.

PUNCH AU THE

2 oranges · 1 citron · 1/2 l de vin rouge ·
4 clous de girofle · 1 morceau de cannelle
en morceau · 150 g de sucre · 1 c. c. de
feuilles de thé · 1/2 l d'eau · 6 c. s. de rhum

Pressez l'orange et coupez le citron en tranches. Faites
chauffer le jus d'orange, le vin, les clous de girofle, le sucre
et le morceau de cannelle dans une casserole. Laissez bouillir environ 15 minutes à petit feu. Préparez une infusion
avec l'eau et les feuilles de thé. Versez le thé bouillant dans
une carafe en verre. Filtrez le mélange de vin chaud dans le
thé. Ajoutez le rhum sans cesser de remuer. Versez le
punch au thé dans des verres.

BOUQUET GARNI

Amusez-vous à composer un bouquet à partir d'herbes telles que le romarin, le cerfeuil, l'estragon, la citronnelle, le céleri, les chrysanthèmes et l'euphorbe. Ce bouquet, qui embaumera toute la pièce, représente également un véritable plaisir pour les yeux.

Les **sachets de bouquet garni** s'utilisent principalement pour parfumer la soupe ou le bouillon sans que le contenu ne se répande dans le liquide. Un bouquet garni "fait maison" est cependant extrêmement facile à réaliser et bien plus agréable aux papilles. Il suffit de ficeler quelques branches de fines herbes fraîches. Le bouquet garni est enlevé en fin de cuisson. Le bouquet garni présente plus d'un avantage: non seulement il parfume et rehausse le goût des mets, mais il vous permet également de nombreuses improvisations.

Voici quelques suggestions:

4 branches de persil · 2 branches de fenouil ·
2 branches d'estragon · 1 oignon de printemps · un morceau de poireau

Ficelez le tout et utilisez le bouquet garni pour parfumer le poisson braisé, la soupe et le poulet rôti.

BOUQUET GARNI ITALIEN

3 branches de basilic · 3 branches de persil
·1 petit oignon · 1 branche d'origan

Ficelez le bouquet et utilisez-le pour parfumer des recettes italiennes telles que le minestrone, les préparations aux poissons et aux tomates et le poulet rôti.

Les fines herbes fraîches sont de plus en plus appréciées dans la cuisine. Elles permettent de rehausser la saveur et l'arôme des préparations. Plus vous utiliserez ces fines herbes, plus vous aurez envie d'innover. Cette remarque vaut certainement pour la composition de bouquets garnis.

Les bouquets garnis peuvent également se congeler. Les fines herbes qui se prêtent le mieux à la congélation sont le persil, l'aneth, le basilic, l'estragon, la sarriette, la marjolaine, le thym et le romarin. Rincez les fines herbes sous l'eau froide, laissez-les égoutter et épongez-les avec du papier absorbant. Rassemblez-les et ficelez-les. Congelez-les dans des sachets en plastique. Munissez les sachets d'une étiquette mentionnant la composition du bouquet et la date de congélation. Si une recette requiert des herbes hachées, vous pourrez facilement émietter le contenu d'un sachet. Grâce à la congélation, vous aurez des bouquets dont vous vous serez procuré les aromates à la meilleure saison. Vous composerez et congèlerez ainsi des bouquets au gré de votre fantaisie et de vos besoins.

Il est également possible de **sécher** des fines herbes. Il suffit de les rincer et de les éponger avec du papier absorbant. Les bouquets sont suspendus dans un endroit bien ventilé. Après le séchage, les herbes peuvent être émiettées avant d'être rangées dans des pots hermétiques.

Un **pot-pourri** est un mélange de pétales, de fleurs, de roses et d'épices séchés. On peut également réaliser des pots-pourris à partir d'épices et d'herbes. On les dépose dans un plat ou on en fait un bouquet. Un tel pot-pourri libère des senteurs irrésistibles.
Réalisez, par exemple, un pot-pourri de thym, de romarin, de laurier, de camomille et de pétales de roses séchés.

Les **sachets d'herbes** destinés à l'armoire à linge ou à la toilette:
Confectionnez de petits sachets de coton ou de lin, remplissez-les d'un mélange de thym, de romarin, de menthe et de citronnelle. Ajoutez également quelques pétales de fleurs séchées. Fermez les sachets avec un ruban. Une idée de cadeau originale.
Remplissez des sachets d'herbes destinés à la salle de bains de vos senteurs favorites, par exemple, la citronnelle ou la mélisse. Ils parfumeront délicatement l'eau du bain.

SAUCES

VINAIGRETTE

La vinaigrette est un assaisonnement polyvalent.

Hachez finement un mélange de ciboulette, d'estragon, de cerfeuil, de persil et de câpres. Avant de servir, mélangez deux cuillerées à soupe de ce mélange avec 8 cuillerées à soupe d'huile de maïs, 2 cuillerées à soupe de vinaigre aromatisé aux fines herbes, sel, poivre et quelques gouttes de sauce anglaise. Battez le tout. Cette vinaigrette accompagne toutes les salades.

ASSAISONNEMENT AU BASILIC

1/2 c. c. de moutarde · 1,5 c. s. de vinaigre ·
3 c. s. d'huile de tournesol · sel · poivre ·
1/2 c. s. de sauce au basilic (pesto) ·
4 feuilles de basilic finement hachées

Mélangez bien tous les ingrédients. Utilisez cet assaisonnement pour parfumer les salades au fromage, les salades de tomates ou les pâtes.

SAUCE A LA CIBOULETTE

150 g de pain blanc débarrassé de sa croûte ·
1/8 l de lait · 4 œufs durs · 4 c. s. de ciboulette finement ciselée · 1 c. c. de sauce anglaise · 8 c. s. d'huile d'olive · 3 c. s. de jus de citron · 3 c. c. de moutarde.

Mettez le pain dans une assiette creuse et ajoutez le lait. Ecalez les œufs, hachez finement et passez au tamis avec le pain trempé (il est également possible de mixer le mélange). Incorporez progressivement l'huile d'olive et rectifiez avec le jus de citron, la sauce anglaise et la moutarde. Avant de servir, ajoutez la ciboulette hachée. Cette sauce succulente accompagne les viandes grillées.

SAUCE A L'ANETH

1 bouquet d'aneth ciselé · 30 g de beurre ·
30 g de farine · 1/2 l de bouillon de viande ·
sel · 1 jaune d'œuf · 3 c. s. de crème fraîche.

Faites fondre le beurre dans une poêle, ajoutez la moitié
de l'aneth ciselé et faites revenir le tout à petit feu.
Ajoutez la farine et laissez-la revenir quelques instants.
Ajoutez le bouillon sans cesser de remuer afin d'obtenir
une sauce onctueuse et homogène. Salez à volonté et laissez mijoter la sauce pendant quelques instants à feu doux.
Mélangez le jaune d'œuf à la crème fraîche et incorporez
ce mélange à la sauce. Ajoutez le restant de l'aneth à la
sauce. Cette sauce accompagne le poisson poché.

SAUCE AU PERSIL

100 g de beurre · 30 g de farine · 1/2 l de
bouillon de poule · 1 bouquet de persil · un
trait de jus de citron · 2 c. s. de vin blanc sec
· sel · poivre

Faites fondre 30 g de beurre dans une casserole. Ajoutez
la farine et laissez cuire quelques instants. Ajoutez
progressivement le bouillon et le vin sans cesser de remuer. Laissez bouillir quelques instants. Incorporez progressivement les noisettes de beurre. Hachez finement le persil, et lorsque la sauce a absorbé tout le beurre, ajoutez le
poivre et le sel, le jus de citron et le persil haché. Servez
sans attendre.

INDEX DES RECETTES